桂林名胜100景
World-Famous Guilin Landscape 100

中 国 摄 影 家 张 力 平 摄 影 作 品 精 选

Selections from Photos by Chinese Photographer Zhang Liping

广 西 人 民 出 版 社

GUANGXI PEOPLE'S PUBLISHING HOUSE

前　言

　　桂林，是世界著名的风景旅游城市和历史文化名城，被誉为世界上最美丽的城市之一，"桂林山水甲天下"也是千百年来世人对这个风景名城的赞美。

　　桂林以"山青、水秀、洞奇、石美"融为一体，奇特的岩溶地貌及自然山水神韵，造就了桂林秀丽的山水风光。其山水相依，与变化万千的自然景色交相辉映，更赋予桂林的山以神姿仙态，漓江的水如情似梦。陈毅元帅游览桂林山水后曾发出这样的感叹："愿做桂林人，不愿做神仙"。

　　在大桂林旅游圈内，除了桂林、漓江、阳朔景区外，还有兴安猫儿山、古灵渠秦堤、海洋银杏林、龙胜梯田、花坪原始森林、资源资江、八角寨等新景点，构成了举世无双的桂林山水。

　　我们精选了由著名风光摄影家张力平先生拍摄的100幅桂林风光图片，编成这本《桂林名胜100景》画册，介绍给国内外游客，使他们能更多的了解、认识充满魅力的、梦幻般的人间仙境桂林，同时也希望这本画册能让游客在饱览美丽的桂林后，留下一个美好的回忆。

Preface

　　Guilin is a world-famous scenic city, and also a famous historic and cultural city For thousands of years it has been eulogized as one of the most beautiful cities in the world

　　When praising it, the people at large often say: "Guilin tops the world in scenery.The hills here are green and the waters limpid", while the rocks are beautiful and the caves grotesque They all blend into a harmonious and integral wholeBesides, the city is characteristic of unique karst landform and wonderful natural scenes All this makes the landscape in Guilin very beautiful As the harmonious co-existence of the hills and waters here adds radiance and beauty to the ever-changing natural phenomena and vice versa, the hills appear in various fairylike forms, and the waters of the Lijiang River fantastic and animate as a living body This is why Marshal Chen Yi said "I would rather be a Guilinese than an immortal" on his tour of this city.As to the scenic spots in Great Guilin, there are a number of new ones in addition to those in Guilin City and Yangshuo and along the Lijiang River They are the Maoer Mountain, the Qin Dam of the ancient Linqu Canal in Xing'an, the ginkgo forest in Haiyang, the terraced fields in Longshen, the primeval forest in Huaping, the Zijiang River and the Bajiaozhai Mountain in Ziyuan All these scenic spots make the scenery in Guilin incomparable.

　　By selecting 100 best pieces from the photos taken of the famous scenery in Guilin by Mr Zhang Liping, a well-known Guilin landscape photographer, we compiled a photo album entitled "World-Famous Guilin Landscape 100".

　　It is no other than a photo album of the famous scenic spots and historic places in Guilin We hope that by presenting it to the tourists at home and abroad, they will have a better understanding of Guilin — a fascinating and fantastic fairyland on earth, and that the album will vivify their sweet memory of the wonderful scenery they have heartily enjoyed in Guilin.

象鼻山
The Elephant Hill
象鼻山
Der Elefantenruessel — Berg
상비산
le mont comme la trompe
Il Monte Naso d'elefante
Colina de la Nariz del Elefante

独秀峰
The Solitary Beauty Peak
獨秀峰
Der Gipfel der Alleinstehenden Schoenheit
독수봉
un seul mont
La Cima Du Xiu
Pico Tuxiu

骆驼山
The Camel Hill
骆驼山
Der Kamelberg
낙타산
le mont comme
le cham-eau
Il Monte
Camello
Colina de
Camello

花桥
The Flower Bridge
花橋
Die Blumenbruecke
화교
le pont des fleurs
Il Ponte Fiore
Puente de Flores

桂海碑林
The forest of steles in Guilin
桂海碑林
Die Gedenksteingalerie in Guilin
계해비림
Forêt de stèles à Guihai
le stele di Gui Hai
Estelas de Guilin

试剑石
Sword of stone
刀のテスト石
Schwert-Fels
試劍石
Pierre taillée par l'épée
Pietra da provare spada
Piedra de toque para la
espada

木龙古渡
The ancient ferry at Mulong
木龍の古い渡り
Die alte Ueberfahrtsstelle bei Mulong
목룡옛나루터
le pont de bois de style archaique
il legno Drago Barca
Embarcadero Antiguo de Mulong

杉湖日月双塔
Double-tower of sun and moon at Shanhu Lake
スギ湖の日月ツインタワー
die Zwillingstürme auf dem Shansee
산호일월쌍탑
Les Tours Jumelles du Soleil et de la Lune du Lac-Shanhu
Torre del sole e torre della luna del lago Shan
Las dos torres del Sol y la Luna del Lago de Shanhu

木榕湖
Murong Lake
木榕の湖
der Murongsee
목용호
Le Lac-Murong
Lago Murong
Lago de Murong

解放桥夜景
Night scene at Jie Fang Bridge
解放橋の夜景
die Befreiungsbrücke am Abend
해방호의 야경
Vue nocturne du Pont de la Libération
Paesaggio di sera sul ponte Jiefang
Vista del Puente de la Liberación

11

芦笛岩
The Reed Flute Cave
口笛岩
Die Schilfrohrfloete — Hoehle
노적암
Roc au pipeau
La Roccia Lu Di
Caverna de la Flauta de Caña

华南第一峰猫儿山
Mt. Maoer, the highest mountain in South China
華南第一峰猫兒山
Der Maoer — Berg ist der erste hoechste Gipfel in Suedchina

화남제 1 봉-묘아산
le mont Maoer, le premier mont du Sud de la Chine
la prima cima del Sud Cina- Il Monte Mao Er
El pico primero en el sur del pais, el pico de Maor

兴安灵渠
The Lingqu Canal at Xing'an County
興安の靈渠
Lingguer Kanal in Xingan
흥안 영거
le canal Ling à Xingan
Ling Canale di Xin An
Canal Lingqiu

春到人间
spring comes
春が人間に來た
Flueling ins welt
인간세상에 찾아온 새봄
Les printemps est dans l'air.
la Primavera sta venendo
Se vuelve la primavera en la humanidad

奇峰晨曲
Fantastic hills ring with morning songs
奇峰夜明けの曲
Bizarr geformte Gipfel in der Morgenfruehe
기봉신곡
De bon matin du mont extraordinaire
il primo mattino delle cime peculiare
Musica de la madrugada en los picos fantasticos

大圩古镇
Dagu Town
大古镇
Der hoche Berg unter dem Himmel und den Wolken
대서 고진
bourg ancien de Daxu
la citt?antica di Da Xu
Antiguo Pueblo Daxu

冠岩
The Crown Cave
冠岩
Die Krone--Hoehle
관암
Roc Guan (à Guilin)
La Roccia Cappello
Caverna Kuanyen

云海波涛
The turbulent waves of cloud
雲海のさけぶ大波
Welle des Wolkenmeers

구름파도
la mer de nuages
il maroso delle nuvole
El oleaje en el mar de nube

奇山秀水
Beautiful waters borders on wonderful hills.
奇山と清き水
Die phantastischen Berge und das klare Wasser
기이한 산 수려한 물
monts étranges et rivières ravissantes
le cime peculiari e la belleza d'acqua
Colinas fantasticas y rio verde

19

九马画山　　　　　　　　구마화산
The Nine-Horse Mural Hill　neuf cheveaux sur le mont
九匹つ马が山をえがく　　Il Monte Nove Cavalli
Der Pferdegemaelde − Berg　Colina de la pintura de nueve caballos

黄布晨韵
Daybreak over the Yellow Cloth Shoal
黄布の夜明け風雅
Morgendaemmerung bei Huangbu

황포의 아침기운
les premières lueurs de l'aube à Huangbu
il primo mattino di Huang Pu
Aurora en Huangpu

兴坪佳境
The beautiful scenes at Xingping
佳境の兴坪
Die erfreulichste oder angenehmste
Phase in Xingping
흥평절경
beau paysage de Xingping
il luogo particolare di Xing Ping
El paisaje pintoresco de Xinping

莲花岩　　　　　　연화암
The Lotus Flower Cave　　Roche de fleur de lotus
莲花岩　　　　　　La Roccia Fiore ~~di~~
Die Lotusblumenhoehle

桂林山水实景演出《印象·刘三姐》
Casting in the real Guilin landscape
桂林名胜の阳朔口公演「印象·刘三娘」
ssion-Liu Sanjie》
nrheit des Landschafts Guilin《die dritte Schwester Liu im Eindruck》
출 《(유산제)》
on sabri il Poisaje Rial di Guilin—《Impricion, Liu Sanjie》
ión sobre el Paisaje Real de Guilin—《Impresión, Liu Sanjie》

群峰倒影山浮水
Peaks cast their reflections on the waters.
峰峰の倒影は水に浮ぶ
Die Widerspiegelung der gruenen Berge im Wasser
여러 봉우리 물에 비치니 산은 물우에 떠있는 듯
les reflets des montagnes dans la fleuve
l'ombra delle cime sul fiume
Los reflejos de los picos como las colinas flotando en agua

奇峰耸翠
Grotesque peaks stand
upright in green dress.
奇峰は屏风の如し
Phantastischen Gipfel
emporragen samaragd
아아한 푸른 기봉
sommets et pics verts
il colore verde delle cime
Fantasticos picos verdes

24

云雾涌仙山
Clouds surge up around the hills of the fairyland
かすみのわく仙山
Wolken und Nebel ballten sich die Paradiesberge
선산에서 솟아오르는 구름안개
la brume du mont Yongxian
le nuvole intorno le cime
Colinas seguidas por las nieblas y nubes

月亮山　　　월량산
The Moon Hill　le mont Lune
月光の山　　Il Monte Luna
Der Mondberg　Colina de Luna

大榕树
A huge ancient banyan
大きい古榕
Der grosse Banyan°™Baum

용나무
Un grand banian
 il grand figo con i frutti piccoli
Banyan grande

书童秋色
The Boy Scholar Hill in the colorful autumn
秋色に书童
Die Herbstlandschaft des Berges des Lernenden Kindes
서동의 수려한 풍경
paysage d'automne et enfant d'école
il letteratino nel autunno
El paisaje del otoño en Shu Tong

小河背风光
The scene at Xiaohebei
風光の負う小川
Landschaft bei Xiaohebei

아름다운 풍광에 받침된 시냇물
paysage de la rivière à contre-jour
il paesaggio di xiao He Bei
El pintoresco paisaje de Xiao Hebei

高田秀色
The colorful beauty of Gaotian
高田の秀色
Die schoene Landschaft bei Gaotian
고전의 수려한 풍경
paysage ravissant de Gaotian
la belleza di Gao Tian
El paisaje pintoresco de Gao Tian

碧水青山
Blue waters and green hills
水清く山みどり
Gruene Berge und klares Wasser

녹수청산
paysage gracieux et pittoresque
i monti e l'acqua verde
Agua clara y colina verde

山间夕照金光远
The setting sun on the hilltop spreads its golden light far and wide.
山里の夕焼，金光とおし
Golde Abendsonne ueber den Berge
저 멀리 퍼져가는 산간의 저녁노을
Les collines verdoyantes baignées dans le soleil
couchant s'offrent à nos regards.la luce del
crepuscolo nella montagnaLos rayos del
sol poniente en las colinas

牧归
Homeward bound from the pasture
牧人の归り
Zurueckkehrender Hirt
방목하고 돌아오는 길
sur le chemin de retour du pré
il ritorno di pascolare
Regreso del pasto

牧归
Homeward bound from the pasture
牧人の归り
Zurueckkehrender Hirt
방목하고 돌아오는 길
sur le chemin de retour du pré
il ritorno di pascolare
Regreso del pasto

山如碧玉簪
Peaks appear as if they were jade hairpins.
山，碧玉のかんざしの如し
Die Berge wie Haarnadeln aus Gade
산은 푸른 옥비녀이런듯
la montagne comme jaspe vert
il monte come forcina di giada
Colian como la horquilla de jade verde

雾锁群山
Peaks enshrouded in fog
霧は群山を縛る
Die vom Nebel vernuellten Berge
안개속에 잠긴 뭇
les nuées montent en sp
irales dans la montagne
la nebbia delle cime
Colinas cerradas por la niebla

江山多娇
So rich in beauty is the land.
山川の美しさや
Die malerische Landschaft
강산이 이렇듯 아름다워
Les fleuves et montagnes sont aussi pittoresques et
splendides qu'en beau tableau.
la belleza di territorio
Montañas y rios magnificos

阳朔西街
West Street in Yangshuo
阳朔の西街
West-strasse in Yang so

양삭의 서쪽거리
la rue douest au Yangsuo
la Ovest viuzza di Yan Shuo
La calle occidental de Yansu

银子岩
The yinzi cave
银子岩
Yinzi-Hoehle

여포의 은자암
Roc de Yinzi à Lipu
La Roccia Yin Zhi di Li Pu
Caverna de Plata de Lipu

恭城文庙
The Confucian Temple in Gongcheng County
恭城の文寺
Konfuzius und Guangyu-Tempel in Gongchen
공성 문묘
le temple de Gongcheng
il tempio di Citt?Gong
Templo de Confucio de Gongcheng

百寿岩石刻
Stone carving in Baishou Rock
百寿岩の石刻
Stein-inschriften auf der Bai shou Fels
백수암 석각
inscription de stèle à Baisou
la scaltura in pietta della Roccia Bai Shou
La escultura en piedra de la Caverna
Baishuo

月岭古村"孝义可风"坊
Ancient village of Yueling
月岭古町の"孝义可风"と言う扁额
Kindespflicht Gasse im Yue Lin Dorf
월령고촌의 '효의가풍'비
le portique commémoratif du village ancien de Yueling
l'officina "Xiao Yi Ke Feng" della citt?antica di Yue Ling
El monument con la inscripión "respe tar a los viejos y amar a los niños" en la Antigua Aldea Yueling

八角寨风光
The scenic sight of the Bajiaozhai mountain
八角寨の风光
Die Landschaft der achteckigen Feste
팔각채 풍광
le paysage du village d'huit angles
il paesaggio di Campagna BA Jiao
El paisaje de la AIdea Octogonal

金坑梯田
The terraced fields at Jinkeng
金坑の段段 ぱたけ
Terrassenreisfelder bei Jinkeng
금항의 다락밭
le champs en terrasses de Jinkeng
il terrazzo di Jin Ken
La terraza de Jinken

五排河漂流
Drifting downstream in the turbulent
Wupaihe River
五排川で漂流
Schwimmen mit dem Strom auf dem
Wupai-Fluss
오배하의 드리프트
aller à la dérive à la rivière Wupai
Il Fiume Wu Pai
Flotando en el Rio Wupai

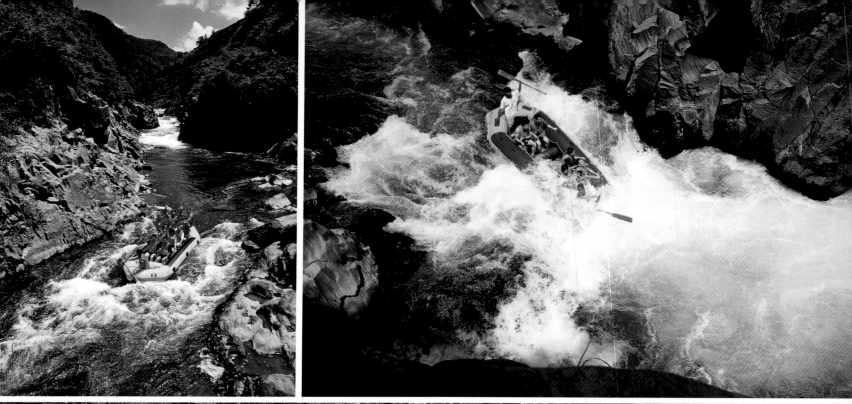

田园诗韵
The idyllic scene of the countryside
田园の´趣
Idylle
전원시운
paysage champêtre comme idylle
il gusto raffinato degli campi e giardini
Idilio

锦秀大地
A land of charm and beauty
大地に锦の如し
Die schoene Landschaft auf Erden
금수강산
beau pays couvert d'une éclatante splendeur
la terra splendida
Hermosa patria

大地之春
Spring over the land
大地の春
Fruehling

대지의 봄
le printemps sur la terre
La Primavera della Terra
La primavera de la tierra

梯田春韵
Terraced Fields in Spring
段段ぱたけの春
Terrassenreisfeld im Fruehling
고전의 봄
la beauté printanière du champs en terrasses
la primavera del terrazzo
La primavera en la terraza

图书在版编目(CIP)数据

桂林名胜100景/张力平编著.—南宁:广西人民
出版社,2002.8
(旅游丛书)
ISBN 7-219-04593-X

Ⅰ.桂... Ⅱ.张... Ⅲ.名胜古迹-桂林市-
摄影集 Ⅳ.K928.706.73-64

中国版本图书馆CIP数据核字(2002)第050662号

桂林名胜100景

张力平 摄影

出版	广西人民出版社
	(中国广西南宁桂春路6号)
发行	广西人民出版社
制版	深圳市国际彩印有限公司
印刷	深圳市国际彩印有限公司
开本	889毫米×1194毫米 1/16
印张	3
版次	2010年3月第1版第2次印刷
定价	70.00元
书号	ISBN 7-219-04593-X/J·290

如有印装质量问题,请与工厂调换

莲花岩
The Lotus Flower Cave
莲花岩
Die Lotusblumenhoehle

연화암
Roche de fleur de lotus
La Roccia Fiore di Loto
Caverna de Loto

桂林山水实景演出《印象 · 刘三姐》
Casting in the real Guilin landscape
桂林名胜の阳朔口公演「印象 · 刘三娘」
《Impression-Liu Sanjie》
Die Wahrheit des Landschafts Guilin《die dritte Schwester Liu im Eindruck》
계림풍경연출 ((유산제))
Retresintacion sabri il Poisaje Rial di Guilin—《Impricion, Liu Sanjie》
Representación sobre el Paisaje Real de Guilin—《Impresión, Liu Sanjie》

五排河漂流
Drifting downstream in the turbulent
Wupaihe River
五排川で漂流
Schwimmen mit dem Strom auf dem
Wupai-Fluss
오배하의 드리프트
aller à la dérive à la rivière Wupai
Il Fiume Wu Pai
Flotando en el Rio Wupai